DEVINEZ-MOI !

185 devinettes-poèmes du monde

RUE DU MONDE

TEXTES RÉUNIS PAR JEAN-MARIE HENRY

IMAGES DE JUDITH GUEYFIER

La Poésie

BON VOYAGE...

SUR CHAQUE DOUBLE-PAGE, LES RÉPONSES AUX DEVINETTES APPARAISSENT DANS L'IMAGE.

... AUX SOURCES DE LA POÉSIE

*Une calebasse d'argent
dans le grand manguier. Devine !*
– C'est la lune !

*Toutes les quatre semaines,
elle redevient bébé. Qui est-elle ?*
– C'est aussi la lune !

La première est une devinette africaine,
vieille comme le monde, qui nous montre
la lune en croissant.
La seconde est une autre manière de voir
la lune, ronde comme un bébé dans le ventre
de sa mère. Elle est née chez des Indiens
du Mexique, il y a sûrement plus de 3 000 ans.

Avant même de savoir écrire des poèmes,
les humains ont joué avec les mots pour dire
l'étrangeté de la vie, leur étonnement devant
la nature ou les mystères de l'existence.
Ces devinettes, les enfants des cinq continents
se les sont échangées depuis la nuit des temps
et les ont transportées jusqu'à nous…
Les poètes eux-mêmes s'en sont nourris.

Une faucille d'or dans le champ des étoiles.
– C'est toujours la lune !
Cette fois, c'est Victor Hugo, l'un des plus
grands écrivains français, qui parle.

Alors, *calebasse, bébé, faucille d'or…*
La poésie est le fleuve de tous les possibles !
Et les 185 devinettes-poèmes qui composent
cette anthologie, qu'elles soient recueillies
à travers le monde ou imaginées par
des écrivains, sont des graines d'étoiles qui
nous rendent, à chaque sourire, plus humains.

Bon voyage aux sources de la poésie,
les pieds sur la terre et le cœur dans la lune !

Jean-Marie Henry

PAYSAGES DU GRAND NORD

1

Qui est capable de remonter la rivière
à contre-courant dans son canoë rouge ?

LE SAUMON

Devinette koyukon d'Alaska

2

C'est une berceuse chantée aux enfants
du monde des morts.

LE MURMURE DE L'EAU DES RUISSEAUX

Devinette koyukon d'Alaska

3

Petites étincelles rouges
qui glissent le long du torrent ?

LES DENTS D'UN CASTOR
QUI NAGE AU SOLEIL COUCHANT.

Devinette tanaina d'Alaska

4

Quelle main
peut recouvrir le monde ?

L'OBSCURITÉ

Devinette ahtna d'Alaska

5

Il traîne sa pelle
en remontant la piste.

LE CASTOR ET SA QUEUE

Devinette koyukon d'Alaska

6

Murmures. Au-dessus de la montagne
s'élève la fumée : elle chasse le renne.

LA BOUILLOIRE SUR LE FEU

Devinette inuit

7

Qui se cachent
sous ces bonnets en peau de mouton ?

DES SOUCHES D'ARBRES
APRÈS UNE CHUTE DE NEIGE

Devinette koyukon d'Alaska

9

9

Quel bruit terrifiant refait de toi
un tout petit enfant ?

LE TONNERRE

Devinette des Indiens comanches

8

Qui tourne autour du tipi
sans jamais y entrer ?

LE SENTIER

Devinette des Indiens cherokees

10

Qui trace sa piste
et n'y repasse jamais ?

LE FEU DE PRAIRIE

Devinette des Indiens comanches

11

Quelles sont ces demoiselles
qui veillent, toujours debout
et attentives ?

LES PERCHES
QUI SOUTIENNENT LE TIPI

Devinette des Indiens arapahos

12

C'est une étoile
tombée dans l'eau.

L'ŒIL DU POISSON

*Devinette
des Indiens comanches*

13

Qui voyage plus vite que toi ?

TES PENSÉES

Devinette des Indiens arapahos

14

Quel est l'animal qui porte
des peintures de guerre jaunes
sur les joues ?

LE RATON LAVEUR

Devinette des Indiens comanches

PAYSAGES DES CARAÏBES

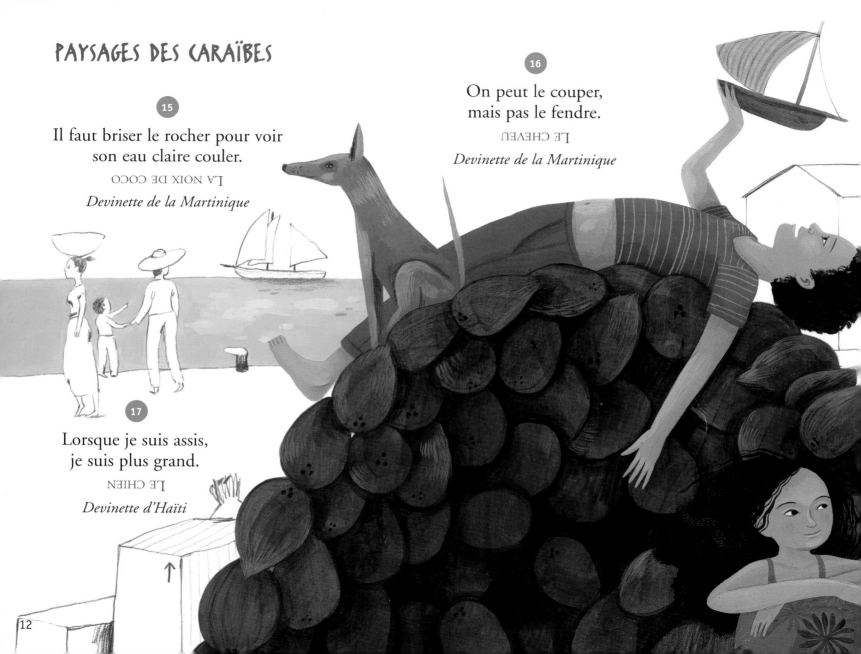

15

Il faut briser le rocher pour voir
son eau claire couler.

LA NOIX DE COCO

Devinette de la Martinique

16

On peut le couper,
mais pas le fendre.

LE CHEVEU

Devinette de la Martinique

17

Lorsque je suis assis,
je suis plus grand.

LE CHIEN

Devinette d'Haïti

18

Deux demi-calebasses
de la même taille sont empilées.

LE CIEL ET LA TERRE

Devinette de la Martinique

19

On m'a invité à dîner
et j'ai mis mes plus beaux habits.
Quand je me suis mis à table,
je les ai tous enlevés.

LE BATEAU À VOILES
QUI ARRIVE AU PORT

Devinette de la Guadeloupe

20

Je suis debout, il s'allonge ;
je m'allonge, il se met debout.

LE PIED

Devinette de la Guadeloupe

21

Hachez-moi dans le bois !
Clouez-moi dans le bois !
Après ma mort,
j'aurai une belle voix !

LE VIOLON

*Devinette de la
République dominicaine*

22

J'ai tiré la queue d'un bœuf.
Il a crié « meuh » !

LA CLOCHE

Devinette de Guyane

23

Mon fils, qui as-tu vu sur la route ?
As-tu vu le vieil homme
et ses quatre petits garçons ?

LE GROS ET LES PETITS ORTEILS

Devinette maya du Mexique

24

Il dévale les vallées
en tapant dans ses mains.

LE PAPILLON

Devinette aztèque du Mexique

14

25

Je suis seule.
Si nous étions mariés,
nous nous lèverions très tôt
et nous irions chasser le cerf.

LA FLÈCHE QUI CHANTE
UNE CHANSON D'AMOUR À L'ARC

Devinette seri du Mexique

26

Une pierre noire.
La tête collée au sol,
elle écoute les bruits de la terre.

LE CAFARD

Devinette aztèque du Mexique

27

Un perroquet écarlate
ouvre le chemin.
Derrière suit un corbeau.

LE FEU SUR LA LANDE

Devinette aztèque du Mexique

28

Repu la nuit, affamé le jour.

LE HAMAC

Devinette maya du Mexique

29

Il a des petites chaussures de terre
et siffle nuit et jour dans le vent.

LE BRIN D'HERBE

Devinette quéchua du Pérou

30

De la cordillère monte
un puissant taureau.
Il a un cœur jaune vif
et des cornes d'or.

LE SOLEIL

Devinette des Araucans du Chili

31

Né dans les bois,
il vit sur la rivière.

LE CANOË

Devinette guarani du Paraguay

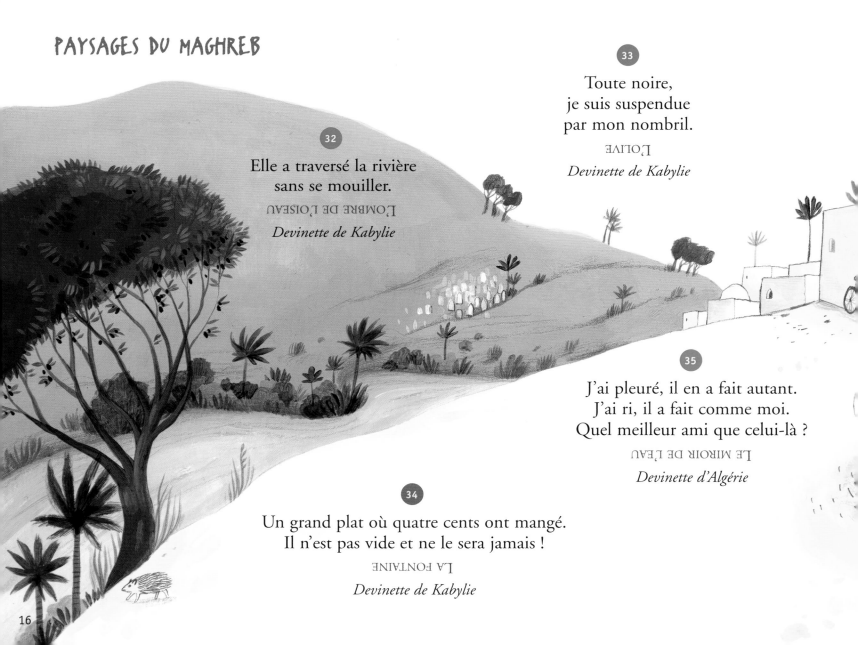

PAYSAGES DU MAGHREB

33

Toute noire,
je suis suspendue
par mon nombril.

L'OLIVE

Devinette de Kabylie

32

Elle a traversé la rivière
sans se mouiller.

L'OMBRE DE L'OISEAU

Devinette de Kabylie

35

J'ai pleuré, il en a fait autant.
J'ai ri, il a fait comme moi.
Quel meilleur ami que celui-là ?

LE MIROIR DE L'EAU

Devinette d'Algérie

34

Un grand plat où quatre cents ont mangé.
Il n'est pas vide et ne le sera jamais !

LA FONTAINE

Devinette de Kabylie

36

À petits pas, la forêt s'en va boire à la rivière.

LE HÉRISSON

Devinette de Kabylie

37

Je passe tristement au milieu d'un troupeau
sans y reconnaître ni la brebis ni le bélier.

LE CIMETIÈRE DU VILLAGE

Devinette d'Algérie

17

PAYSAGES DU DÉSERT

Un lièvre endormi
avec des boucles d'oreilles
portant le ciel sur la tête ?

LA TENTE

Devinette de Mauritanie

Un sac de fourmis
qui a mordu ton estomac ?

LA SOIF

Devinette de Mauritanie

Devine : ce qui est profond
et dans lequel
son ombre tourne en rond ?

LE PUITS

Devinette d'Algérie

Devine, devine :
en haut, un vivant ;
en bas, un vivant ;
et entre les deux : aucun vivant…

L'HOMME, LE CHAMEAU ET LA SELLE

Devinette touareg

Un trou sous deux trous,
deux trous sous deux feux,
deux feux sous une falaise,
un désert sous la falaise,
un désert couvert de buissons,
dans les buissons loge un danger !

LES CHEVEUX ET LES POUX,
LES DEUX YEUX, LE FRONT,
LA BOUCHE, LES DEUX NARINES,

Devinette d'Afrique du Nord

Slukié, blukié, slukié, blukié…
Sans foie et sans poumons,
elle bêle pourtant
comme une chèvre assoiffée.

L'EAU DU PUITS
LA POULIE QUI SERT À REMONTER

Devinette d'Afrique de l'Ouest

Une seule branche d'épineux
qui, en plein désert,
retient tout un troupeau ?

LA FAIM

Devinette de Mauritanie

Cent debout, cent assis,
cent se battent à l'épée ?

LES CILS

Devinette touareg

46

Mademoiselle est sur le chemin,
tous ceux qui passent
embrassent sa bouche.

LA FONTAINE

Devinette de Maurice

47

J'ai un arbre. Quand il a des feuilles,
il n'a pas de racines ; quand il a des racines,
il n'a pas de feuilles.

LE NAVIRE

Devinette de Maurice

48

Je casse le cercueil,
je mange la mort.

LA PISTACHE

Devinette de Maurice

49

Je suis rouge dans mon bonheur,
noir dans mon malheur.

LE GRAIN DE CAFÉ

Devinette de Maurice

50

Le mort porte le vivant.

UNE PIROGUE

Devinette de Maurice

51

Quatre pattes sur quatre pattes
attendent quatre pattes.
Quatre pattes ne viennent pas,
quatre pattes s'en vont,
quatre pattes restent.

UN CHAT SUR UNE CHAISE
ATTEND UNE SOURIS,
LA SOURIS NE VIENT PAS,
LE CHAT S'EN VA,
LA CHAISE RESTE

Devinette de Maurice

52

Coupe mon ventre
pour trouver mon trésor !

LA GRENADE

Devinette de Maurice

53

De l'eau debout.

LA CANNE À SUCRE

Devinette de Maurice

54

Quatre pattes sur quatre pattes.
Quatre pattes s'en vont,
quatre pattes restent.

UN CHIEN SUR UNE CHAISE

Devinette de Maurice

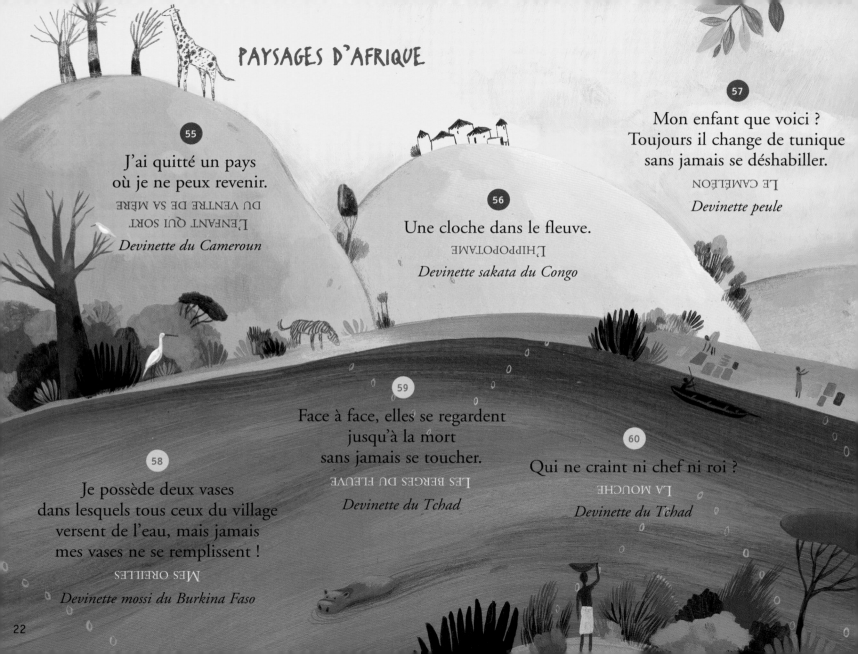

PAYSAGES D'AFRIQUE

55

J'ai quitté un pays
où je ne peux revenir.

L'ENFANT QUI SORT
DU VENTRE DE SA MÈRE

Devinette du Cameroun

56

Une cloche dans le fleuve.

L'HIPPOPOTAME

Devinette sakata du Congo

57

Mon enfant que voici ?
Toujours il change de tunique
sans jamais se déshabiller.

LE CAMÉLÉON

Devinette peule

58

Je possède deux vases
dans lesquels tous ceux du village
versent de l'eau, mais jamais
mes vases ne se remplissent !

MES OREILLES

Devinette mossi du Burkina Faso

59

Face à face, elles se regardent
jusqu'à la mort
sans jamais se toucher.

LES BERGES DU FLEUVE

Devinette du Tchad

60

Qui ne craint ni chef ni roi ?

LA MOUCHE

Devinette du Tchad

61

Chaque matin,
j'avale un cavalier
et sa monture. J'avale quoi ?
J'avale qui ?

LE LAIT ET SA CRÈME

Devinette touareg du Mali

62

Un collier de perles
que personne
ne porte à son cou.

LA COLONIE DE FOURMIS
VOYAGEUSES

*Devinette des Sakata
du Congo*

23

63

Quatre branches vivantes,
deux branches sèches,
une branche folle.

LE BŒUF

Devinette de La Réunion

64

Ma maison
a de plus en plus d'étages.

LE BAMBOU

Devinette des Seychelles

65

Il y a dans la forêt un soleil
qui tombe goutte à goutte.

LE MIEL

Devinette de Madagascar

66

Cette femme noire
a cinq enfants blancs.

LA MAIN D'UNE FEMME NOIRE
ET SES ONGLES

Devinette des Seychelles

67

Quatre bouteilles de lait,
têtes en bas
et qui ne coulent pas !

LES PIS D'UNE VACHE

Devinette de La Réunion

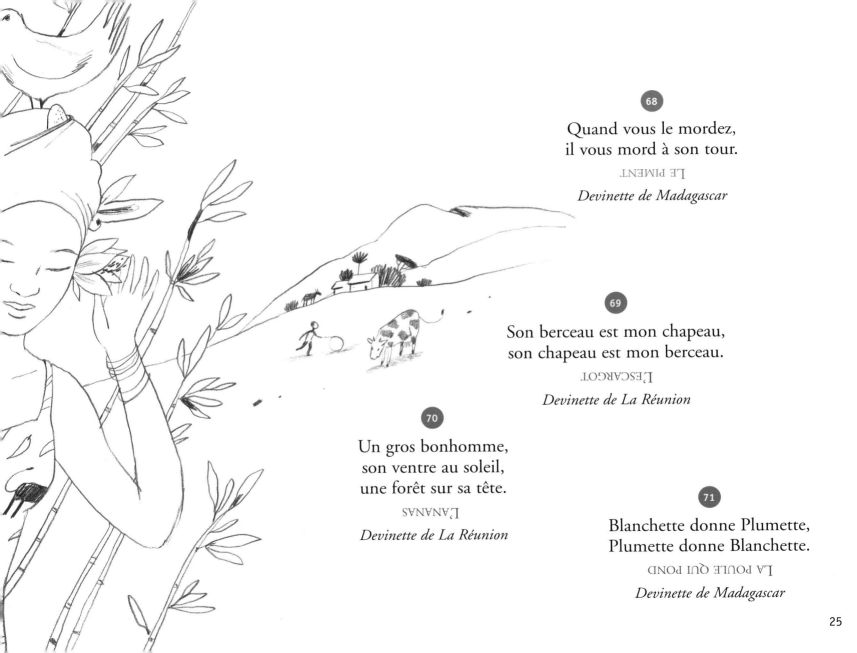

68

Quand vous le mordez,
il vous mord à son tour.

LE PIMENT

Devinette de Madagascar

69

Son berceau est mon chapeau,
son chapeau est mon berceau.

L'ESCARGOT

Devinette de La Réunion

70

Un gros bonhomme,
son ventre au soleil,
une forêt sur sa tête.

L'ANANAS

Devinette de La Réunion

71

Blanchette donne Plumette,
Plumette donne Blanchette.

LA POULE QUI POND

Devinette de Madagascar

72

Il descend de la montagne.
Il dévale du coteau.
C'est le lion sans licou
qui arrive !

LE TORRENT

Devinette de Turquie

73

Un morceau de bois
pousse sur la terre.

LA TÊTE DE LA TORTUE

Devinette de Turquie

74

Parmi les fruits : sans fleur.

LA FIGUE

Devinette de Turquie

75

Un arbre, ils ont taillé.
En sons, ils l'ont ravitaillé.
Il se trompa, il mentit,
ses oreilles, on lui tordit.

LE LUTH

Devinette de Turquie

77

Je marche, elle reste.

LA TRACE

Devinette de Turquie

76

Je reste, elle marche.

LA VOIX

Devinette de Turquie

78

Quand il est vert, il est blanc.
Pour jaunir, il prend du temps.
Plus il jaunit, plus il pend.
Plus il pend, meilleur il sent.

L'ABRICOT

Devinette de Turquie

79

Trente-deux soldats en armure blanche
gardent la caverne du dragon.

LA BOUCHE

Devinette d'Iran

80

Quatre par terre,
deux en l'air !

LA CHÈVRE

Devinette d'Iran

81

Toutes les portes du palais
sont fermées cette nuit ; pourtant,
d'un bond, Ghalandar le derviche
est entré dans la cour royale.

LE RAYON DE LUNE

Devinette d'Iran

PAYSAGES D'IRAN

83

Si courte sa vie,
et pourtant tellement grand le bonheur
qu'elle a fait éclater dans les airs !

LA BULLE DE SAVON

Devinette d'Iran

82

Des plumes de paon
sur une défense d'éléphant.

LE RADIS

Devinette d'Iran

85

Pays aux rivières sans eau
et aux forêts sans animaux.

LA CARTE DE GÉOGRAPHIE

Devinette d'Iran

84

Là, pas là !

L'OMBRE DU NUAGE

Devinette d'Iran

86

C'est un arbre à douze branches ;
chacune d'elles porte une trentaine de fruits
de toutes les couleurs.

L'ANNÉE, LES MOIS ET LES JOURS

Devinette d'Iran

29

PAYSAGES DE FRANCE

À chaque pas,
elle perd sa queue.

LA LIMACE

Devinette de France

Qui n'a jamais été ni jamais ne sera ?

LE NID D'UNE SOURIS
DANS L'OREILLE D'UN CHAT

Devinette de France

Qui crie quand on entre et qui sourit
quand on quitte la maison ?

LE PAIN

Devinette de France

Qui est gros comme un bœuf
et ne pèse pas un œuf ?

LA FUMÉE

Devinette de France

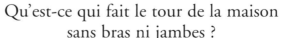

Qu'est-ce qui fait le tour de la maison
sans bras ni jambes ?

LA CLÔTURE

Devinette de France

92

Une petite robe blanche
sans coutures ni manches.

LA COQUILLE DE L'ŒUF

Devinette de France

94

Quatre demoiselles dans un pré
qui courent l'une après l'autre
sans jamais se rattraper.

LES AILES DU MOULIN

Devinette de France

93

Je suis une petite demoiselle
qui ne voit ni le jour ni la nuit
dans sa chambrette.

LA NOISETTE

Devinette de France

96

J'ai la peau fine comme celle d'une hermine.
Prenez garde en me déshabillant
car j'ai sur moi des armes
qui pourraient arracher des larmes
aux yeux qui n'ont jamais pleuré.

L'OIGNON

Devinette de France

95

Quelle bête chasse
le loup hors du bois ?

LA FAIM

Devinette de France

31

PAYSAGES DE BRETAGNE ET DU PAYS BASQUE

Je l'ai vue naître,
je l'ai vue en pleine vie,
je l'ai vue mourir,
et, après sa mort, je l'ai vue courir.

LA FEUILLE DE CHÊNE

Devinette de Bretagne

Qu'est-ce qui est grand
comme mon petit doigt,
et qui enfermerait bien
tous les chevaux du roi ?

LA CLEF

Devinette de Bretagne

Courons, courons !
Restons là, restons là !
Jouons, jouons !

L'EAU, LA PIERRE, LE POISSON

Devinette du Pays basque

Comme les lignes de la main
sans paume, qui suis-je ?

LE POMMIER

Gérard Le Gouic

Devinez : blanc comme lait,
et ça n'est pas du lait,
puis vert comme chou,
et ça n'est pas du chou,
puis rouge comme feu,
et ça n'est pas du feu,
enfin noir comme diable,
et ça n'est pas le diable.

UNE MÛRE

Devinette de Bretagne

Quatre fontaines
sous une montagne.

LES PIS DE LA VACHE

Devinette du Pays basque

Quand elle est avec moi,
je la cherche toujours.
Quand elle est partie,
je ne la cherche pas.

LA PUCE

Devinette de Bretagne

Gare ! Devant moi, tout s'immobilise.
Je ne suis d'aucun pays,
et je suis de tout lieu. Gare !

LA MORT

Devinette de Bretagne

Mon beau cheval blanc
qui marche de crête en crête ?

LE BROUILLARD

Devinette du Pays basque

106

Ce billet doux plié en deux
cherche une adresse de fleurs.

LE PAPILLON

Jules Renard

PAYSAGES DU PRINTEMPS

 107

Deux oiseaux assis
sur la même branche
mais qui ne se voient pas.

LES YEUX

Devinette moaga du Burkina Faso

 108

Qu'une chemise en ait,
C'est bien la moindre chose ;
Ceux de mon jardinet
Sont promesse de roses.

LES BOUTONS

Jean-Luc Moreau

 109

Jetée en l'air : vert,
tombée à terre : rouge.

LA PASTÈQUE

Devinette rom

 111

Je fais le tour de l'arbre, mais
Je ne me déplace jamais.

L'ÉCORCE

Jean-Luc Moreau

 110

Je peux sans effort
Porter de grands arbres,
Mais ni bague en or
Ni buste de marbre.

L'EAU

Jean-Luc Moreau

112

Il faut me prendre comme je suis
et ne pas trop serrer.

LE HÉRISSON

Jules Renard

 113

Quand il était enfant,
c'était un tracteur.
Adulte,
c'est devenu un aéroplane.

LE PAPILLON

Devinette d'Indonésie

 114

Une chambre en bas,
une chambre en haut,
à l'intérieur chante un rossignol.

LA BOUCHE ET LA LANGUE

Devinette d'Afghanistan

 115

Donne et ne reçoit jamais assez,
donne et ne reçoit jamais assez.

LA TERRE

Devinette des Sakata du Congo

116

Sans faire le moindre bruit,
elle sait entrer dans la forêt.

LA BRUME

Devinette de Turquie

117

Qui arrive à tire-d'aile le soir,
passe la nuit sur la terre
et le matin s'envole au ciel ?

LA ROSÉE

Devinette de France

118

J'ai une bande de filles :
quand le soleil sort, elles se cachent ;
quand le soleil se cache,
elles se montrent.

LES ÉTOILES

Devinette de Maurice

119

L'énorme bœuf blanc
a fait lever tout le monde.

LE JOUR

Devinette de France

120

Devine, devine : la ficelle
qui retient attaché tout le pays ?

LE SOMMEIL

Devinette touareg

121

Toutes les quatre semaines,
elle redevient un bébé.

LA LUNE

*Devinette des Indiens amuzgos
du Mexique*

122

Une mère, pendant la nuit,
enfante une centaine d'enfants.
Au lever du jour, ils sont tous morts.
Surgit alors un vieillard immortel
que personne n'ose regarder.

LA LUNE, LES ÉTOILES, LE SOLEIL

Devinette du Viêtnam

123

Une goutte de lune
dans l'herbe.

LE VER LUISANT

Jules Renard

124

Le voilà !
Où est-il ?

L'ÉCLAIR

Devinette touareg

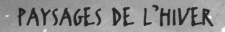

PAYSAGES DE L'HIVER

125

Partout, je me pose.
Sur la mer, je n'ose.

LA NEIGE

Devinette de Catalogne

126

Quand j'arrive,
j'imite le chant du silence ;
quand je repars, celui du ruisseau.

LA NEIGE

Alain Serres

127

Elle arrive comme la flèche,
siège comme la reine,
et on finit par la jeter dehors
comme une mendiante.

LA NEIGE

Devinette d'Afghanistan

128

Un blanc tapis,
avec ses fronces et ses plis,
que l'hiver
a tiré pour cacher la terre.

LA NEIGE

Jacques Charpentreau

129

Un jeune agneau sans gardien ;
sa laine ne peut servir d'habit.

LA NEIGE

Devinette de Kabylie

PAYSAGES D'INDE ET DES PHILIPPINES

130

Plus tu le frappes, plus il crie !

LE GONG

Devinette d'Inde

131

Ni roi ni empereur.
Pourtant, son trône est bien haut !

LE SINGE

Devinette des Philippines

132

Pas tigre…
Mais mangeur d'hommes !

LE MOUSTIQUE

Devinette d'Inde

133

Un arbre à l'est.
Dans ses branches, un fruit d'or.

LE SOLEIL LEVANT

Devinette des Philippines

134

Une tête. Six doigts qui ferment
sept yeux qui parlent…

LA FLÛTE TRAVERSIÈRE INDIENNE (BANSI)

Devinette d'Inde

135

Un turban blanc sur la tête,
le sage médite.

LE SOMMET ENNEIGÉ DE LA MONTAGNE

Devinette d'Inde

136

Elles arrivent !
Elles arrivent !
Elles sont encore loin,
mais déjà on les entend rire.

LES VAGUES

Devinette des Philippines

138

Pas à toi,
pas à moi,
à nous tous !

LA TERRE

Devinette des Philippines

137

Il médite, prend le soleil et mange.
Et tout cela en même temps !

LE MARTIN-PÊCHEUR

Devinette d'Inde

139

K'It veut voyager,
K'Ot veut rester.

L'EAU ET LE CAILLOU

Devinette du Pays srê, Viêtnam

140

Vieillard, vêtu de rouge,
enfant, vêtu de vert.

LE PIMENT

Devinette du Viêtnam

141

Matin et soir, bruyants,
la nuit, muets.

LES BOLS À RIZ

Devinette du Pays srê, Viêtnam

142

Par-devant, une crécelle ;
par-derrière, un drapeau.
Plus la crécelle résonne,
plus le drapeau flotte.

LE CHIEN QUI ABOIE

Devinette du Viêtnam

143

Qui saute de joie
sans raison ?

LA SAUTERELLE À LA BELLE SAISON

Devinette du Viêtnam

144

La mère a des épines,
le fils a la tête chauve.

LE PAMPLEMOUSSIER

Devinette du Viêtnam

145

Au ciel, K'Du le Grand.
À terre, K'Mang le Long.
Entre deux, K'Krong le Griffu.

LE SOLEIL, LE SERPENT ET LE TIGRE

Devinette du Pays srê, Viêtnam

43

146

Né dans un bosquet de bambous,
je me referme l'hiver
pour m'ouvrir quand revient l'été.

L'ÉVENTAIL

Devinette du Viêtnam

147

Pareils à une troupe
de blanches cigognes,
ils se reposent, alignés,
après avoir bien mangé
et pris un bain rafraîchissant.

LES BOLS EN PORCELAINE BLANCHE
QUI SONT ACCROCHÉS AU MUR
APRÈS LE REPAS ET LA VAISSELLE

Devinette du Viêtnam

44

148

On leur dit « au revoir » le matin
et « bonjour » le soir.

LES VOLETS

Devinette du Japon

149

Quand il entre dans l'eau, il s'ouvre.
Quand il en sort, il se ferme
et rapporte des poissons et des crevettes.

LE FILET DE PÊCHE

Devinette de Chine

150

Une grande forêt ; en dessous,
de petits bois ; puis des bijoux.
Au-dessus des bijoux,
une haute montagne.
Au pied de cette montagne,
il y a des terriers de renards
donnant sur un grand fleuve.

LE VISAGE (CHEVEUX, SOURCILS,
YEUX, NEZ, NARINES, BOUCHE)

Devinette du Japon

151

C'est un petit bateau
qui transporte des clous.

LE POISSON PORC-ÉPIC

Devinette d'Océanie

152

Sur le tronc de l'arbre
et non pas sur ses branches,
ce sont des fruits nourrissants.

LES SEINS D'UNE MÈRE

Devinette d'Océanie

153

C'est une petite maison
avec un seul pilier.

LE PARAPLUIE

Devinette d'Océanie

PAYSAGES D'OCÉANIE

154

C'est grâce à son fils mince et élancé
que la vieille mère a la vie sauve.

LE BALANCIER ET LA PIROGUE

Devinette d'Océanie

155

Le docteur m'a recommandé
de prendre
vingt-quatre heures sur vingt-quatre
des bains de mer.

L'ÎLE

Jean-Claude Touzeil

156

Papillons immobiles.

LES PÉTALES

François David

PAYSAGES DE VILLE

 157

Un mime
installe son théâtre
au milieu du carrefour.

L'AGENT DE POLICE

Françoise Lison-Leroy

 158

Qui fait le tour du monde
tout en restant dans son coin ?

LE TIMBRE-POSTE

Devinette de France

 159

Que l'on me retire une lettre,
deux lettres, trois lettres,
je demeure toujours le même.

LE FACTEUR

Devinette des Seychelles

 160

Elle craint le chat,
elle ne craint pas le chat.

LA SOURIS DE L'ORDINATEUR

Jean-Claude Touzeil

 161

Une pierre blanche
tombe dans la mer noire.
La mer tourbillonne,
l'amer devient doux,
la pierre disparaît.

LE SUCRE DANS LE CAFÉ

Pierre Gripari

 162

Tomate mûre,
orange à peine offerte,
on peut croquer
la pomme verte.

LES FEUX DE LA CIRCULATION

Bernard Jourdan

 163

L'une lève
L'autre se repose

L'autre se lève
L'une repose

Tous les deux parfois
Dans le pétrin.

LA PÂTE ET LE BOULANGER

Joël Sadeler

 164

De pays très lointains,
un étrange oiseau survient ;
telles de douces amandes,
ses paroles nous font du bien.

LA LETTRE

Devinette du Kirghizstan

49

PAYSAGES D'ÉCRIVAINS

165

C'est un petit grain triste
resté
coincé dans la gorge,
un petit grain de chat
qui dit :
« Je t'aime encore. »

Un chagrin d'amour
David Dumortier

166

Tu luttes,
tu luttes,
tu luttes,
mais à la fin,
dans ses bras,
tu tombes.
Chut !

Le sommeil
Jean-Claude Touzeil

167

Dormir comme un loir
pendant mille saisons.
Se réveiller en pétard
comme un lion.

Le volcan
Jean-Claude Touzeil

168

L'as-tu l'été ?
Le thé la tue.

La soif
Jean-Luc Moreau

169

La forêt engendrera un enfant
qui causera sa mort.

Le manche de la cognée
Léonard de Vinci

170

Parfois je suis un château,
Parfois je suis un chameau,
Mais je peux être un visage,
Un vieux sage, un paysage,
Un monstre, un cacatoès,
Une barque, un aloès…
Je me transforme souvent
Au gré des songes du vent.

UN NUAGE

Jacques Charpentreau

171

La dix millionième partie
du quart du méridien terrestre.

LE SERPENT

Jules Renard

172

Qui est-ce qui est gris
comme un gros nuage d'orage
et chemine avec deux croissants de lune
en plein jour ?

L'ÉLÉPHANT AVEC SES DÉFENSES

Henri Pichette

La main sème, les yeux récoltent.

ÉCRIRE ET LIRE

Devinette de Guyane

Qui enseigne sans jamais parler ?

LE LIVRE

Devinette d'Afrique de l'Ouest

C'est par elle que tout commence,
que tout finit, elle qui se cache
aux premiers pas de l'automne
pour refleurir au cœur de l'été.

LA LETTRE T

Alain Serres

Au milieu
d'une chambre
un papillon flambe.
Ses ailes incandescentes
éclairent
le livre ouvert sur la table
et l'enfant qui rêve au-dessus des pages.
Il fabrique du plein jour
au creux de la nuit.
Qui est-ce ?

L'AMPOULE

Joëlle Brière

Elles n'ont pas de langue,
elles n'ont pas de jambes.
Pourtant elles vont vite
pour tout nous raconter !

LES NOUVELLES

François Fampou

Le commencement d'un enchantement
Le milieu de la mer et le bout de la terre
Le début et la fin de tout espace
Ainsi s'achève chaque trace

LA LETTRE E

Jacques Charpentreau

Quelles sont les trois lettres
qui rendent l'oiseau très malheureux ?

LES LETTRES L, K, C (AILES CASSÉES)

Devinette des Antilles

Lorsqu'on l'a perdue,
on ne sait plus.
Alors à tout hasard
on fait non.

L'OUÏE (L'OUI)

François David

Je crains l'eau, le feu et l'oubli.

LE LIVRE

Michel Besnier

Le roi des roitelets régnait
sur leurs murailles.
Combien de « R » dans cela ?
se demanda-t-il.

ZÉRO (IL N'Y A PAS DE R DANS « CELA »)

David Dumortier

Sans cette lettre,
la vie serait vraiment
plus belle.

LA LETTRE N (LA HAINE)

François David

Pendant que nous labourons,
ses fleurs nous poursuivent.

L'ÉCRITURE

Devinette de Kabylie

BIBLIOGRAPHIE Principales sources consultées lors de l'élaboration de cet ouvrage

EUROPE

• *Devinettes ou énigmes populaires de la France,* réunies par Eugène Rolland, Paris, 1877.
• *Devinettes françaises du Moyen-Âge,* réunies par Bruno Roy, Bellarmin (Montréal) et J. Vrin (Paris), 1977.
• *Histoires naturelles,* de Jules Renard, 1896.
• *Le folklore du Pays basque,* de Julien Vinson, Maisonneuve et Larose, 1883.
• *Devinettes de la Haute-Bretagne,* réunies par Paul Sébillot, Maisonneuve et Leclerc, 1886.
• *Chants et chansons populaires de la Basse-Bretagne,* réunis par François-Marie Luzel, Maisonneuve et Larose, 1971.
• *Devinettes et formulettes pour petits bretons sages,* réunies par Olivier Eudes, Terre de Brume, 1998.
• *La littérature orale de la Haute-Bretagne,* de Paul Sébillot, Collection Littérature populaire de toutes les nations, Paris, 1881.
• *Revue des traditions populaires,* tome 16, articles de l'abbé François Duine, 1901.
• *136 devinettes du Poitou-Charentes-Vendée,* collectées par Maryvonne Barillot, Geste Éditions, 1997.
• *Proverbes du Pays de Béarn. Énigmes et contes populaires,* réunies par Vastin Lespy, Paris, 1876.
• *Codex Atlanticus,* de Léonard de Vinci, bibliothèque Ambrosiana de Milan.
• *Énigmes populaires catalanes,* de Mila y Fontanals, Revue des langues romanes, 1876.

AFRIQUE

• *Approches littéraires de l'oralité africaine,* sous la direction d'Ursula Baumgardt et Françoise Ugochukwu, Éditions Karthala, 2005.

• *Timseeraq s teqbaylit. 400 devinettes kabyles,* de Drifa Khalfa, Éditions des Écrivains, Paris, 2003.
• *Il n'y a qu'un soleil sur terre. Contes, proverbes et devinettes des Touaregs Kel-Adagh,* de Mohamed Ag Erless, CNRS/Institut de recherches et d'études sur le monde arabe et musulman (Ireman) n° 20, Aix-en-Provence, 1999 ; Éditions La Sahélienne, Bamako (Mali) et L'Harmattan (Paris), 2010.
• *Ithazi : devinettes hassaniya,* de Cheikh Ahmed Ould et Cheikh Mohamed al-Arbi, Centre culturel Saint-Exupéry, Nouakchott (Mauritanie), 1982.
• *Contes, proverbes et devinettes touaregs,* de Mohamed Aghali Zodi, Association pour la promotion des Tifinagh (APT) et L'Unesco, Niamey (Niger), 2006.
• *Devinettes vloum,* transcrites et traduites par Henri Tourneux, Annales de l'Université du Tchad n° 7 (N'Djaména), 1977.
• *Trésors de la tradition orale Sakata. Proverbes, mythes, légendes, fables et devinettes de Sakata,* de Lisa Colldén, Université d'Uppsala (Suède), 1979.
• *Fables et devinettes de mon enfance,* de Patrice Kayo, Yaoundé, Éditions CLE, 1978.
• *Humour et sagesse peuls,* du R. P. Dominique Noye, Mission catholique de Maroua (Cameroun), 1968.

ASIE

• *Zagadki ludowe tureckie, Énigmes populaires turques,* de Tadeusz Jan Kowalski, Académie des sciences de Cracovie (Pologne), 1911.
• *Devin' devin' devinaille, devinettes versifiées de Turquie et du Kirghizstan,* choisies et traduites par Rémy Dor, L'Asiathèque, 2008.
• *Persian and Arabic riddles,* de Charles T. Scott, Université de l'Indiana (Bloomington), 1965 ;

autre édition : Mouton & Co, La Hague, 1965.
• *Bengali culture and society through its riddles,* de Sila Basak, Gyan (New Delhi), 2003.
• *Chants et jeux traditionnels de l'enfance au Viêtnam,* de Chi Lan Do-Lam, L'Harmattan, 2002.
• *La littérature populaire vietnamienne,* de Duong Dinh Khuê, Hanoi.
• *Florilège srê,* Jacques Dournes, Sudestasie, 1990.
• *Revue Mélusine,* vol. 2, 1884-1885, Paris.
• *Contes, devinettes et proverbes du Japon,* de Maurice-Robert Coyaud, Éditions PAF (Pour l'Analyse du Folklore), 1984.
• *Philippines folk literature : the riddles,* de Damiana L. Eugenio, Presse universitaire des Philippines (Diliman, Quezon City), 1994.

ÎLES

• *Devinettes de l'océan Indien,* de Claudine Bavoux, CNRS/Université de La Réunion, Éditions L'Harmattan, 1993.
• *Le folklore de l'Île Maurice,* Charles Baissac, Maisonneuve et Larose, 1887.
• *Oralité et tradition des enfants malgaches,* vol. 2, Clément Sambo, Inalco, 1990.
• *Façon de dire, manière de penser. Les piri (devinettes) de Tahiti,* par Bruno Saura, Journal de la société des Océanistes n° 110, 2000.
• *Dictionnaire des titim et sirandanes,* de Raphaël Confiant, Ibis Rouge Éditions, 1998.

AMÉRIQUE DU NORD

• *K'ich'igi : Dena'ina Riddles,* collectés par Sir Albert Wassillie, Université d'Alaska (Anchorage), 1981.

• *Two Eskimo Riddles from Labrador,* par Franz Boas, The Journal of American Folklore, vol. 39, n° 154, 1926.
• *Riddles of the Ten'a Indians,* père Julius Jette, Revue Anthropos, n° 8, 1913.
• *Make Prayers to the Raven. A Koyukon View of the Northern Forest,* de Richard K. Nelson, Presse universitaire de Chicago, 1983.
• *K'ooltsaah Ts'in'. Koyukon Riddles,* retranscrits et traduits par Chief Henry, Alaska Native Language Center, Université d'Alaska (Fairbanks), 1976.
• *Traditions of the Arapaho,* de Georges Amos Dorsey et Alfred Louis Kroeber. Première publication : Field Columbian Museum, Anthropological Series, vol. 5, Chicago, 1903. Nombreuses rééditions, dont Presse universitaire du Nebraska, Lincoln, 1998.
• *Folk-Lore of the Cherokee of Robeson County, North Carolina,* par Elsie Clews Parsons, The Journal of American Folklore, vol. 32, n° 125, 1919.
• *Riddles and Other Verbal Play among the Comanches,* par David P. McAllester, The Journal of American Folklore, vol. 77, n° 305, 1964.
• *Six Seneca Jokes,* par W. D. Preston, The Journal of American Folklore, vol. 62, n° 246, 1949.
• *New Evidence of American Indian Riddles,* par Charles T. Scott, The Journal of American Folklore, vol. 76, n° 301, 1963.
• *The Last of the Seris,* par Dane and Mary Roberts Coolidge, Presse du Rio Grande (Glorieta, Nouveau-Mexique, USA), 1939.

AMÉRIQUE LATINE

• *Codex de Florence,* de Bernardino de Sahagun (en espagnol, nahuatl et latin). En français,

Histoire générale des choses de la Nouvelle Espagne, La Découverte, 1991.
• *An Epoch of Miracles : Oral Literature of the Yucatec Maya,* d'Allan F. Burns, Presse universitaire du Texas (Austin), 1983.
• *El libro del Chilam Balam de Chumayel,* Antonio Mediz Bolio, Université de Mexico.
• *La Guyane, ses contes, ses devinettes, ses croyances, ses monuments,* d'Auxence Contout, Cayenne, 1990.
• Devinettes du département d'Ayacucho, Pérou.
• *Adivinanzas rioplatenses,* Folklore argentin, vol. 1, de Robert Lehmann-Nitsche, Université de La Plata, Argentine, 1911.

Crédits concernant les droits de reproduction des textes

N° 100 : inédit de Gérard Le Gouic.
N° 108, 111 et 168 : extraits de *Devinettes,* de Jean-Luc Moreau, coll. « Fleurs d'encre », Hachette, 1991.
N° 110 : extrait des *Poèmes de la souris verte,* de Jean-Luc Moreau, Le Livre de poche Jeunesse, Hachette, 2010.
N° 126 et 175 : inédits d'Alain Serres.
N° 128, 170 et 178 : textes de Monika Beisner, traduits par Jacques Charpentreau, extraits de *Les cent plus belles devinettes* © Gallimard
N° 155, 160, 166 et 167 : inédits de Jean-Claude Touzeil.
N° 156, 180 et 183 : inédits de François David.
N° 157 : inédit de Françoise Lison-Leroy.
N° 161 : extrait d'*Énigmes,* de Pierre Gripari, Grasset & Fasquelle, 1992.

N° 162 : texte de Bernard Jourdan, extrait de *Mon premier livre de devinettes,* ouvrage dirigé par Jacques Charpentreau, Éditions ouvrières, 1986.
N° 163 : texte de Joël Sadeler, extrait de *Mon premier livre de devinettes,* ouvrage dirigé par Jacques Charpentreau, Éditions ouvrières, 1986.
N° 165 et 182 : inédits de David Dumortier.
N° 172 : extrait des *Cahiers Henri Pichette 2,* « Les enfances », 1995 © Héritiers H. Pichette.
N° 176 : extrait des *Devinettes de la petite casserole,* de Joëlle Brière, Éditions de La Renarde Rouge.
N° 177 : extrait de *La langue au chat,* de François Fampou, Le dé bleu © F. Fampou.
N° 181 et 185 : inédits de Michel Besnier.

Les ayants droit qui n'ont pu être contactés malgré nos recherches peuvent se mettre en relation avec nos éditions.

TABLE DES POÈMES

185

Aux questions que je pose,
les mauvaises réponses
sont parfois les meilleures.

LA DEVINETTE

Michel Besnier

Dans la collection *La Poésie* :

Direction éditoriale et artistique : Alain Serres • Maquette : V.D. + K.O.
© Rue du monde, 2011
ISBN : 978-2-35504-147-1 • Dépôt légal : février 2011

Achevé d'imprimer en février 2016 sur les presses de l'imprimerie Pollina à Luçon (85) - France - L75351B

IMPRIM'VERT®